¡GRAA!

Todd H. Doodler

SCHOLASTIC INC.

A mi hija Elle, ¡que me enseñó a RUGIR con gusto!
— T.D.

This book was originally published in English as *RAWR!*

Translated by Eida de la Vega

ISBN 978-0-545-64611-6

13 12 11 10 9 8 7 6 5 4 3 2 1   14 15 16 17 18 19/0

Printed in the U.S.A.   40   First Spanish printing, January 2014

Es difícil ser un dinosaurio.

Soy más grande que todos
los niños de mi clase.

También soy más grande
que mis maestros.

6

Soy incluso más grande
que el autobús escolar.

No quepo en el pupitre.

La ropa para el gimnasio no me sirve.

No soy muy bueno
jugando al escondite.

Como soy grande, hay gente que me tiene miedo.

Pero se equivocan.

Soy muy cuidadoso.

Y me gusta ayudar.

15

Soy muy educado en la mesa.

¡BRUP!

Incluso digo "perdón".

Y tengo una sonrisa
encantadora.

Entonces, ¿por qué la gente me tiene miedo?

Te voy a decir
un secreto:

quiere decir HOLA
en dinosaurio.
Por favor, díselo a
todos tus amigos.

Y ser grande puede ser una cosa buena.

Soy muy bueno en
los deportes.

Puedo encontrar cosas
cuando se pierden.

Y a veces también escondo cosas.

28

Y puedo ser muy divertido
a la hora del recreo.

Así que si te encuentras
con un dinosaurio,

no tengas miedo.
Y recuerda...

¡GRRAAAAA!

quiere decir HOLA en dinosaurio.